화물 열차

도널드 크루즈 그림/글 · 박철주 옮김

시공주니어

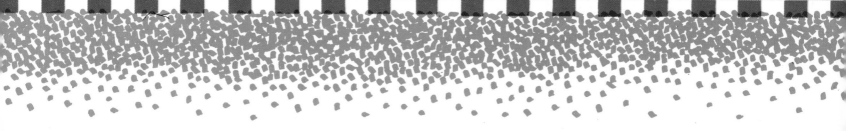

도널드 크루즈(1938~)
뉴저지 주의 뉴와크에서 태어났다. 어려서부터 그림 그리기를 좋아한 크루즈는 뉴와크의 예술 고등 학교를 졸업하고, 뉴욕에 있는 코퍼 유니언에서 공부했다.
크루즈는 칼데콧 아너 상을 받은 《트럭》, 《화물 열차》를 비롯하여 스무 권이 넘는 그림책을 만들었다. 그의 작품에는 성격을 지닌 캐릭터가 등장하지 않으며,
대단히 간단 명료하고 단순하며, 그래픽적인 효과가 극대화되어 있는 것이 특징이다.

박철주
이화여자대학교 도서관학과를 졸업했다. 옮긴 책으로는 《사계절》, 《화물 열차》, 《숲 속에서》 들이 있다.

화물 열차

지은이 | 도널드 크루즈 옮긴이 | 박철주 초판 제1쇄 발행일 | 1998년 1월 30일 초판 제26쇄 발행일 | 2006년 8월 16일
발행인 | 전재국 발행 | (주)시공사 주소 | 137-070 서울시 서초구 서초동 1628-1
전화 | 영업 598-5601 편집 588-3121 | 인터넷 홈페이지 www.sigongjunior.com

FREIGHT TRAIN

ISBN 89-7259-405-9 77840

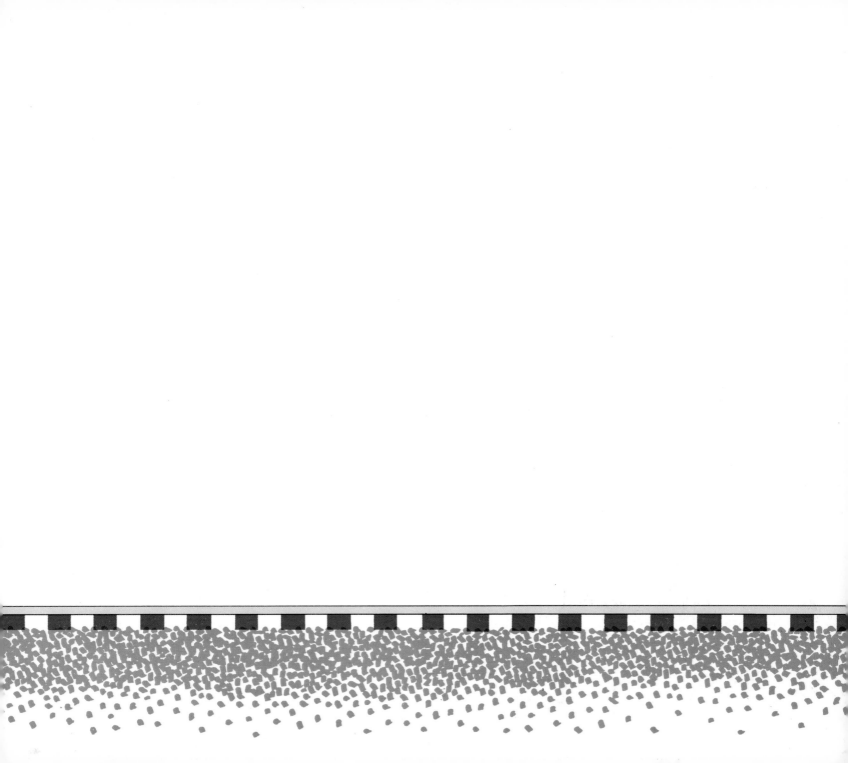

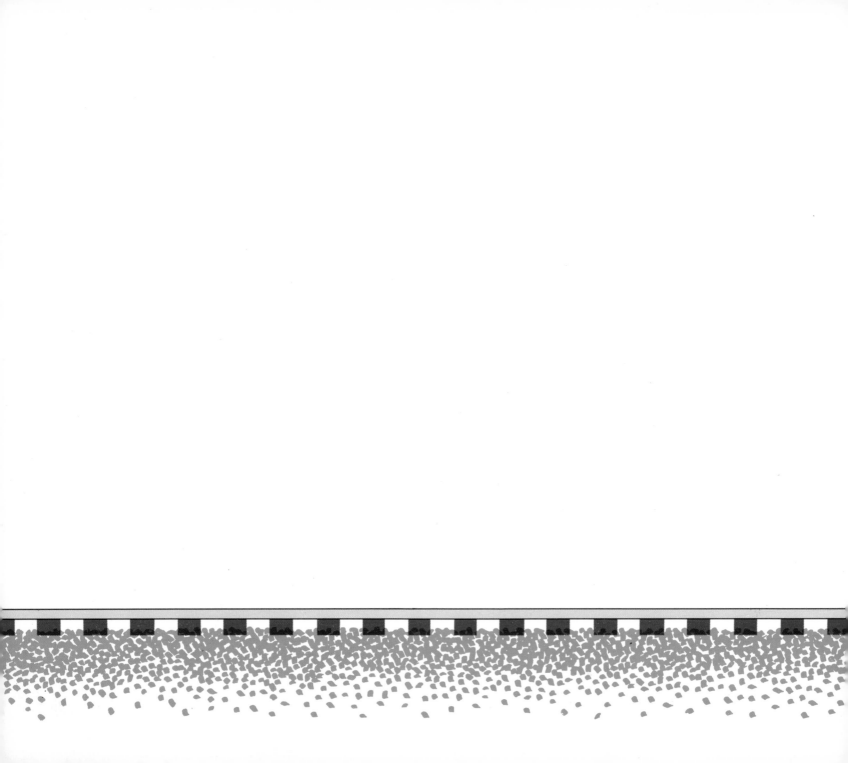

기차가 철길을 따라 달리고 있습니다.

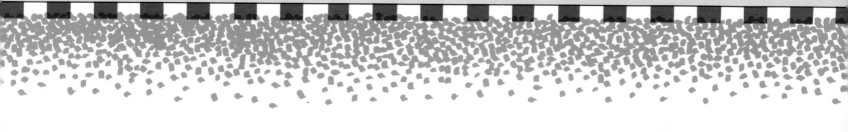

승무원이 타는,
빨간색 화차*
앞에

*화차 : 화물을 나르는 철도의 차량.

기름을 실어
나르는,
주황색 화차
앞에

자갈을 실어 나르는,
노란색 화차[*]
앞에

*숯, 석탄, 자갈, 모래 따위를 실어 나르는 이 화차는, 출구가 화차 아래에 있는 것이 특징이며 그 모양이 마치 깔때기와 비슷하다. 무개 화차의 한 종류.

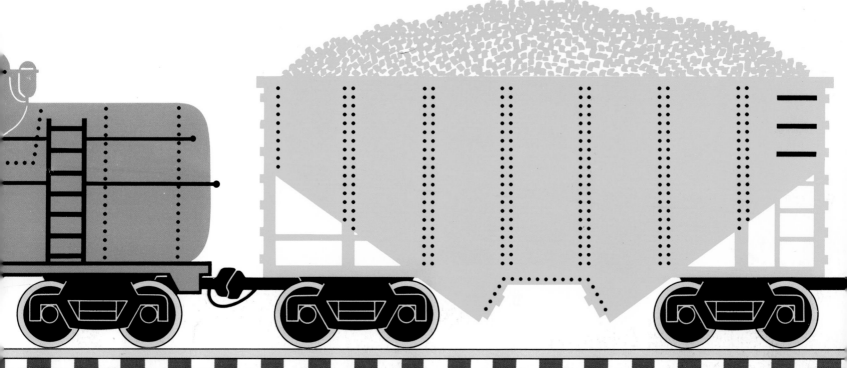

가축을 실어 나르는,
연두색 화차
앞에

석탄을 실어 나르는,
파란색 무개 화차*
앞에

*무개 화차 : 지붕이 없는 화차. 자갈, 모래, 석탄 따위를 실어 나른다.

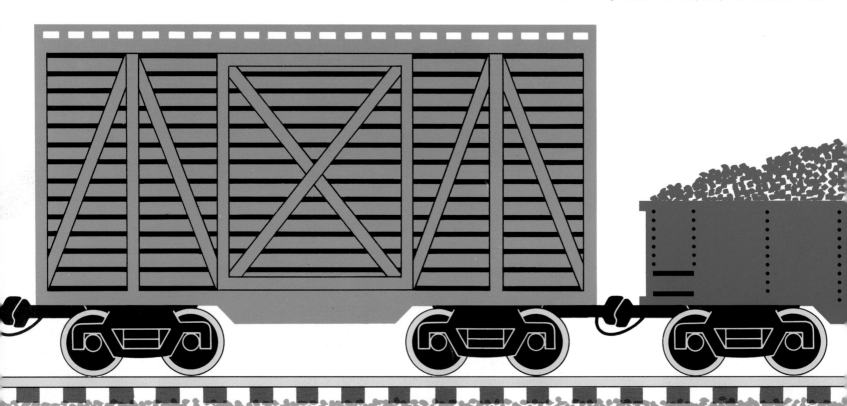

비료를 실어 나르는
보라색 유개 화차*
앞에

*유개 화차 : 지붕이 있는 화차. 이 화차에는 비료, 시멘트,
일반 화물 따위를 실어 나른다.

까만색
탄수차*와

*탄수차 : 증기 기관차의 연료인 석탄과 물을 싣는
화차로 증기 기관차 뒤에 연결된다.

까만색
증기 기관차*가 있습니다.

*증기 기관차 : 증기의 팽창과 응축 운동으로 얻은 동력을 이용하여 화차를 끄는 기관차.

화물 열차입니다.

화물 열차가 달리고 있습니다.

터널을 통과하고,

도시를 지나가고,

철교를 건너고,

밤에도,

달려갔습니다.

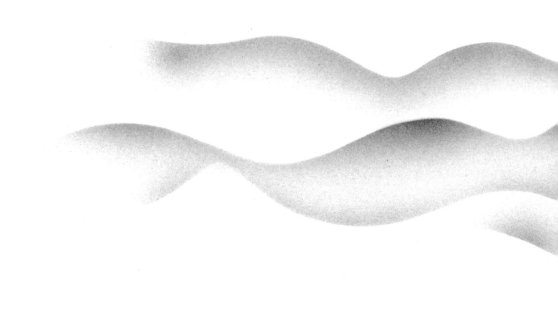